Y0-AQT-039

만화로 보는
그리스 로마 신화

4 페르세우스와 메두사

만화로 보는

그리스 로마 신화

4 페르세우스와 메두사

토머스 불핀치 원작 | 이광진 엮음 | 서영 그림

(주)가나출판사

그리스 로마 신화

4 페르세우스와 메두사

초판 1쇄 펴냄 | 2005년 6월 12일
초판 29쇄 펴냄 | 2011년 1월 28일

원 작 | 토머스 불핀치
엮 음 | 이광진
그 림 | 서영

펴 낸 곳 | (주)가나출판사
펴 낸 이 | 김남전
편 집 | 이승남 장혜란 김경미
디 자 인 | 이미화 김신애
제 작 | 이진영
마 케 팅 | 조정경 김태용 정용민
관 리 | 임종열 이유미

출 력 | (주)포비젼미디어
인 쇄 · 제 책 | (주)백산하이테크

출판등록 | 2002년 2월 15일 제10-2308호
주 소 | 서울특별시 마포구 용강동 274번지
전 화 | 717-5494(편집부) 715-9771(마케팅부) 332-7755(관리부)
팩 스 | 324-9944
홈페이지 | www.anigana.co.kr
이 메 일 | admin@anigana.co.kr

ISBN 978-89-5736-304-1 (77840)
978-89-5736-337-9 (세트)

차 례

아테나와 아라크네

지혜의 여신이자,
정의로운 전쟁의 여신이며,
순결하고 예쁜 처녀 신이 누구지?
저요!

뭐?
저라니까요.
네가
여신이라고?

넌 지혜롭지도 않고
정의롭지도 않으며
예쁘지도 않다는
걸 모르니?

오빠

아빠, 오빠 안경을
다시 맞춰
줘야겠어요.
눈이 더
나빠졌어요.
왜 그래?
내 눈은 그대로야.

맞아.
지우의 눈은
그대로야.
거 봐.

지연이도
귀여운 모습
그대로고.
메롱.

그럼 지혜의 여신에,
정의로운 전쟁의 여신,
순결하고 예쁜
처녀 신이 누구지?
오빠,
내 모습을
다시 봐 봐.

아, 알았다!
깍!

아테나
여신이에요!
오빠!

맞았다. 올림포스 열두 신 가운데서도 아주 중요한 여신이지.
내가 알아맞히려고 했는데 왜 오빠가 먼저 나서?
그 아테나 여신이 어느 날 올림포스에서 그리스 땅을 내려다보다가
아티카 지방의 한 도시를 보고 감탄했어.
참 아름다운 도시로구나. 내 도시로 삼아야겠다.

그런데 포세이돈이
나섰어.
저 도시는
내가 먼저
점찍어 두었으니,
내가
차지해야겠다.

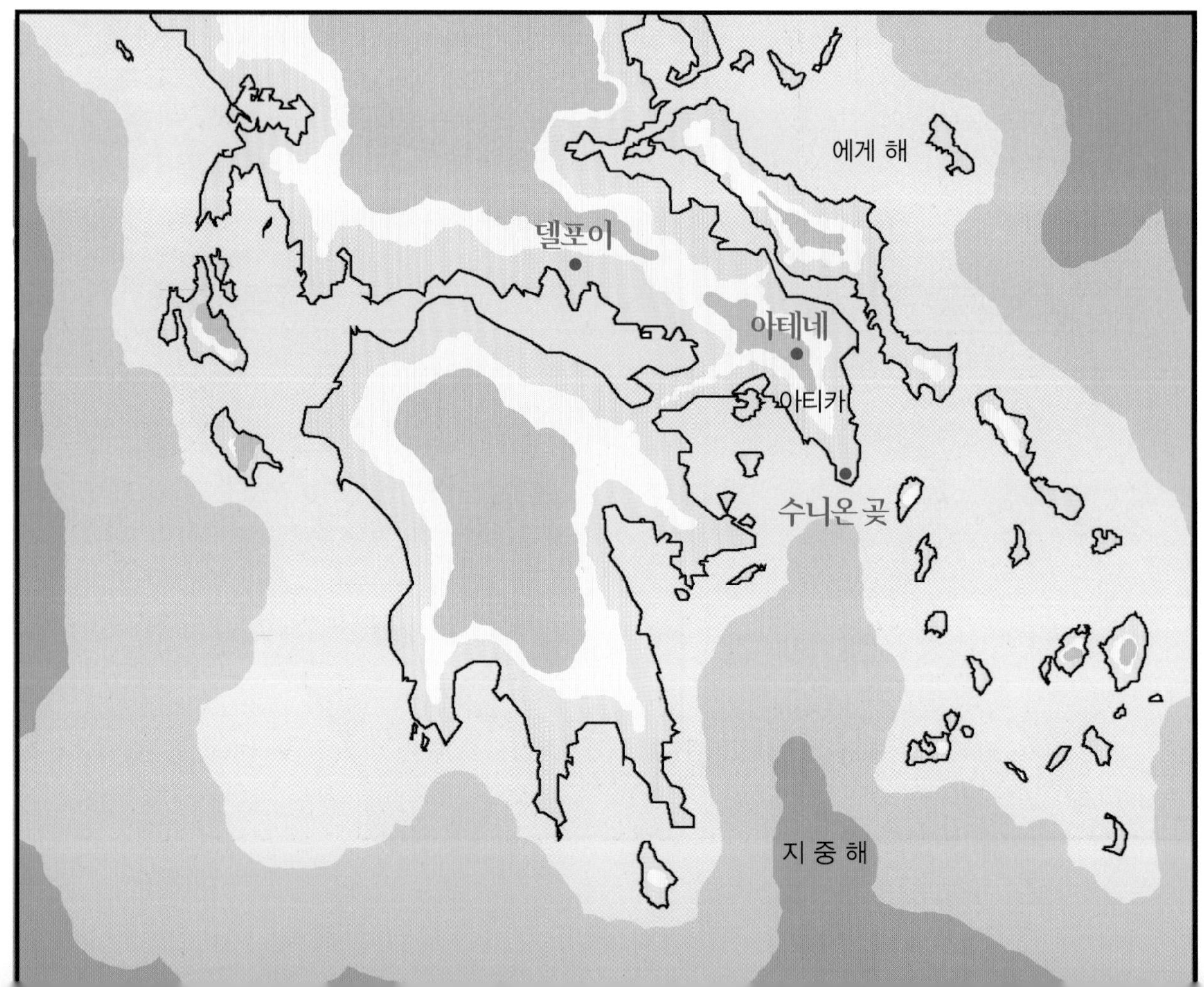
에게 해
델포이
아테네
아티카
수니온곶
지중해

아테나가
발끈했어.
큰아버지,
왜 제 일을
방해하려고
하세요?

무슨 소리?
너야말로 왜
나의 계획을
방해하려고
하느냐?

저 도시는 제가 가질
거예요!
안 돼!
저 도시는
내 거야!

두 신이 다투자,
제우스가 나섰어.
공교롭게도 한 도시를
두 신이 서로
차지하려고 하니,

그 도시
사람들의
의견을
들어 보도록
하지.

좋아요.
그렇게
하지.

제우스는 두 신을 데리고,
그 도시 한가운데에 있는
언덕(아크로폴리스)으로 갔어.
와글
어느 신이
더 좋을까?
와글

그 도시의 왕인
케크롭스가 나섰어.

우리 도시
사람들에게
가장 유익한
선물을 주는
신께 이 도시를
바치겠습니다.

좋다!
이 도시는
물이 귀하니,
나는 물이 잘 솟는
샘을 선사한다!
콰
촤아아
그런데 그 물은 포세이돈이 다스리는
바닷물처럼 짰어.
퉤퉤, 짜서
못 먹겠어!
아, 짜!

포세이돈이 하얀 말을
주었다는
이야기도 있어.
포세이돈은
말과 관계가
깊군요.

나는
올리브 나무를
주겠다.

올리브 열매는
요리에
쓰기도 하고,

기름을 짜서
여러 가지
용도로
쓸 수 있다.

물이 솟는 샘과 올리브 나무, 어느 것이 좋겠소?
와
와아

이윽고 케크롭스가 선언했어.
우리 도시를 아테나 여신께 바칩니다.
들으셨죠?
쳇!

제우스가 올림포스 신들의 의견을 듣고 그 도시를 아테나에게 주었다는 이야기도 있어.

그 후, 사람들은 도시 이름을 '아테네(아테나 여신의 도시)'라 하고,
도시 한복판 높은 언덕에 아테나 여신의 신전을 크게 지었어.

〈파르테논 신전〉

아테나는 아테네의 수호
여신으로서, 아테네가 크게
발전하도록 보살펴 주었어.
아테네는
나의 도시니까.
한편, 아테나에게
아테네를 빼앗긴
포세이돈은
화가 나서 아티카의 들판을
바닷물로 휩쓸어 버렸어.
크아아
촤아악
앗,
해일이다!
사람 살려!

〈수니온 곶의 포세이돈 신전〉

그런데
포세이돈과의
경쟁에서 이긴 아테나가
이번에는 인간 처녀와
경쟁하게 되었어.
인간요?
이름이 '아라크네'인 아리따운
이 처녀는 베 짜는 솜씨와 수놓는
솜씨가 아주 뛰어났어.
그래서 아라크네가
베를 짜거나
수를 놓고 있으면,
정말 멋져.
환상적이야.

사람들뿐만 아니라
숲의 요정, 샘의
요정들까지 몰려와
구경했어.
밀지 말아요.
같이
구경해요.
떠들면
안 돼요.
아테나 여신은
'공예'의 여신이기도
해서,
기술은
지혜에서
나온다.
물레와 베틀 등을 발명해
실 뽑는 법, 베 짜는 법 등을
널리 가르쳐 주었어.
예쁜 옷,
좋은 옷을 지어
입도록 해라.

구경꾼들이 아라크네의
베를 보며 한마디씩 했어.
어쩌면 저렇게
아름다운 베를
짤 수 있지?
아테나 님한테서
직접 배운
솜씨인가 봐.

그래, 그렇지 않고서야
저렇게 아름다운 베를
짤 수는 없겠지.
안 그래?
맞아.

구경꾼들의 말을 듣고
아라크네는 화를
벌컥 냈어.
뭐라고요?
아테나 님한테서
배웠다고요?

아니에요?
우리 말이
맞잖아요.
흥,
기가 막혀!

나는 아무에게도 배우지
않았어요!

그런데 어쩜
그리 솜씨가 좋죠?
난 재능을
타고났어요!
남의 제자가
되는 건 싫어요!

재능을
타고났다고요?
그래요. 내 말을
믿을 수 없다면,
아테나 님과
솜씨를 겨루어
봐도 좋아요.

내가 지면
어떤 벌이든
받겠어요.

아테나는 아라크네의
말을 듣자 몹시
불쾌했어.
뭐가
어쩌고
어째?

괘씸한 것!

아테나는 할머니로
변신해 아라크네에게
갔어.
뾰로롱

아가씨,
나 좀 봐요.
누구세요?

이 늙은이의
충고를 잘
들어요.
충고?

같은 인간끼리라면
경쟁을 해도
좋아요.

그렇지만
신과는
경쟁하지
말아요.

뭐라고요?

아테나 님과
겨루어도 좋다고
했지요? 그렇게
말한 것,
아테나 님께
용서를 빌어요.

여신님은 자비로운
분이시니, 아가씨를
용서해 주실 거예요.

여보세요,
할머니!
에구,
깜짝이야!

그런 충고라면
할머니
딸에게나 하세요!

나는 아테나
여신을 조금도
두려워하지
않아요!
지금 당장에라도
솜씨를 겨뤄 보고
싶다고요!

그래요?

자, 내가
아테나이다.

앗, 아테나 님!
어머,
어머머……!
깜짝 놀란
구경꾼들은
모두 무릎을 꿇고
경의를 표했는데,
오직 아라크네만이
꼿꼿이 서 있었어.
나와 겨루는 게
그렇게 소원이라면,
당장 베 짜기를 하자.

조, 좋아요.

아테나와 아라크네는
각각 베틀 앞에 서서
베를 짜기 시작했어.
누가
이길까?

구경꾼들은 눈을 크게 뜨고
침을 삼키며 베 짜는 모습을
지켜보았어.
결과가
궁금해.
쉿!

아테나는
갖가지 색실로 베에 그림을
짜 넣었어.
올림포스 신들의
영광스러운
모습을 넣자.

아라크네도
베에 그림을
짜 넣었어.

바람둥이 제우스가
황소로 변신해
처녀를 납치하는 장면,

백조로 변신해
여자를 유혹하는
모습…….

이윽고 아테나와
아라크네는 베 짜기를
마쳤어.
이만 끝내자.

아테나는 아라크네가
짠 베를 보았어.
으음, 솜씨가
아주 좋구나.
그런데 감히
신들을 조롱하고
모욕하다니……!
아테나는 북으로 아라크네가 짠 베를
찢어 버렸어.
못된 것!
부
욱

그리고 아라크네의
이마에 손을 대어,
아라크네 스스로 잘못을
깨닫게 해 주었어.
네가 무슨
짓을 했는지
알겠지?
아라크네는 부끄러움을
참지 못해,
크 흐 흑…

나무에 목을
매어 죽고 말았어.
쯧쯧.

아라크네를
불쌍히 여긴 아테나는
나무에 매달린
아라크네에게 말했어.
죄 많은
처녀야,
살아나거라.

그리고 네가 지은
죄를 언제까지나
잊지 않도록 해라.

너와 너의 자손들은
모두 영원히
나뭇가지에
매달려 있거라.

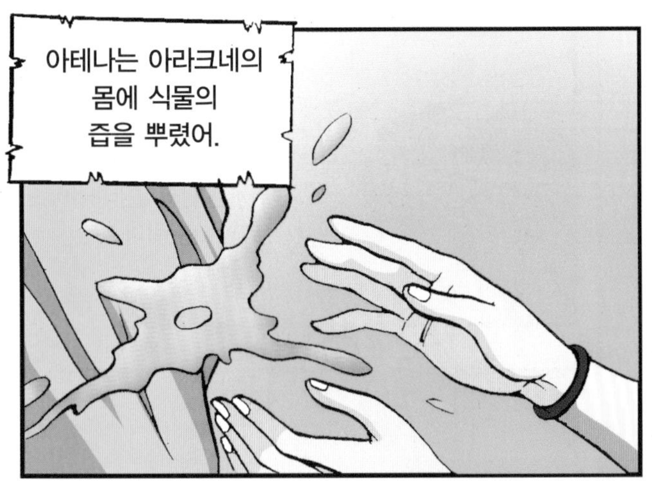
아테나는 아라크네의
몸에 식물의
즙을 뿌렸어.

그러자 아라크네의
몸이 작아지더니,
한 마리 거미로 변했어.

거미로 변한 아라크네는
몸에서 실을 뽑아 거미집을
지었단다.

레토와 니오베

아라크네가
아테나 여신과
베 짜는 솜씨를
겨루다 거미로
변했다며?
신을 두려워하지
않고 얕보다
벌을 받은 거지, 뭐.
아라크네가
베 짜는 솜씨만
믿고 너무
오만했어.

아라크네
이야기는
곧 널리 퍼져,
사람들에게 신과 능력을
겨루면 안 된다는
교훈을 남겼어.

그런데 또
한 사람…….

또 한 사람요?
누구예요?

신들에 대한
겸손의 교훈을 알지 못한
여자가 있었어.
그럼 그 여자도
큰 벌을 받았겠군요.
조심해야
하는데…….

이 유명한 이야기의 주인공은
테베의 왕 암피온의
왕비인 니오베!
유명한 이야기
시작이오!

니오베에게는
자랑할 것이 많았는데,
그중에서도 가장 자랑스러운 것은
똑똑한 아들이 일곱, 예쁜 딸이 일곱이나
된다는 사실이었어.

어느 날, 레토 여신이
쌍둥이 남매 아폴론과
아르테미스를 낳은 것을
기리는 축제가 열렸어.

테베의 많은 사람들이
월계관을 쓰고 제단에
향을 피웠어.

레토 여신이
누구인지는 2권에서
이야기했지?
네. 헤라의 질투
때문에 아기 낳을 곳이
없어서 떠돌아다녔죠.

맞아. 신들이
많이 나오는데도
잘 기억하고
있구나.
저는 천재라고 했잖아요.

우~!
왜 그러니?

오빠, 아빠는 지금 '겸손'에
대해 이야기하고 계시잖아.
바로 오빠 같은 사람에게
주는 교훈이야.
야!

난 사실을 말했을 뿐이야.
너도 알잖아, 내가 머리 좋다는 거.
그만! 그만해!
나, 속 거북해져.

잠깐, 잠깐!
너희는
아빠 이야기가
듣고 싶지
않은가 보구나.
아, 아녜요.
빨리 해 주세요.

이야기 듣고 싶으니까
내가 참겠어.
이, 이게!

또, 또…….
아, 알았어.

축제가 한창인데
니오베가 나타났어.

니오베의 아름다운
얼굴에는 노기가
어려 있었어.
이윽고 니오베가
입을 열었어.
어리석은
백성들아!
사람들이 왕비를 발견했어.
아, 왕비님.
왕비님이시다!
왕비님은 언제 봐도
아름다우셔.

니오베는 목소리를
높였어.
왜 눈앞에 있는
나를 무시하고,
한 번도 보지 못한
레토를 숭배하느냐?

네?
왕비님,
무슨 말씀
이십니까?
나의 아버지
탄탈로스는
올림포스 신들의
만찬에 초대받을
만큼 위대했고,
나의 어머니는
여신이었다.
그리고 나의
남편 암피온은
테베의
왕이다!

잘 알고
있습니다.
그걸 모르는
사람이 있겠습니까?

그리고 무엇보다도
나에게는 일곱
아들과 일곱 딸이
있다.
그것도 알고
있습니다.
그런데도
너희는
티탄의 딸이고 자식도
아들 하나에 딸 하나,
겨우 둘밖에 없는 레토를
나보다 훌륭하다고
생각한단 말이냐?

사람들은 니오베의 입에서
더 험한 말이 나올까 봐
두려웠어
왕비가
왜 저러지?
쉿!

이 따위 축제는
집어치워라!

그리고 레토에
대한 숭배를
그만두어라!

사람들은 니오베를
힐끗힐끗 보며
중얼거렸어.
감히 레토 여신을
업신여기다니…….

그들은 축제를
그만두고 흩어져
버렸어.
왕비의 말을
무시할 수는
없잖아.

레토는 니오베의 행동을
보자 몹시 분했어.
저, 저, 저런
건방진 것!

레토는 곧 아폴론과
아르테미스를 불렀어.
얘들아, 나는 너희를 아주 자랑스럽게 생각하고,
헤라를 빼면 어느 여신에게도 뒤지지 않는다고 여겨 왔다.
당연하지요, 어머니.
그런데 지금은 내가 여신인지도 의심받게 되었다.
니오베의 말을 들으셨군요.

그래. 너희가 나를 보호해 주지 않으면, 나는 사람들로부터 숭배를 받지 못할 것이다.
어머니, 더 말씀하지 마세요.

니오베에게 벌주는 것만 늦어지니까요.
그래요, 어머니. 저희에게 맡겨 주세요.
오누이는 구름으로 몸을 가리고 테베의 성탑 위에 내렸어.

성문 앞의 넓은 들에서
젊은이들이 전쟁놀이를
하는데, 니오베의 아들들도
있었어.
와아아
덤벼라!
돌격!
니오베의 첫째 아들은
말을 타고 달리고
있었어.
와앙
아폴론은 활로
첫째 아들을
겨누었어.
나를 원망하지
말고, 주제넘은
너의 어머니를
원망해라.

피!
악!
퍽
다음!
둘째는 전차를 타고 달리다가
화살을 맞고 땅에
떨어져 나뒹굴었어.
으악!

셋째는 말에서
내려 달아나다가
고꾸라졌어.
윽!
다섯째와 여섯째는
격투를 하다가
얏!
한 화살에
맞아 쓰러졌어.
애들아!
으아악!

웬일이야?
달려오던 넷째도
쓰러졌어.
윽!

막내는 하늘을
향해 소리쳤어.
신들이시여,

저를 살려
주십시오!

기도해도
소용없다!
화살은 이미
활시위를 떠났다!

으악!
헐레벌떡

왕, 왕비님, 큰일
났습니다! 왕자님들이
모두……!

신하의 말을 듣고
니오베는 의자에서
벌떡 일어났어.
뭐라고?
왕비는 성문
밖으로 뛰어갔어.
신하들이
왕자들의 시체를
한 곳에 모았어.
오오……!

니오베는 곧
무슨 일이 있었는지
알아차렸어.

암피온이
허겁지겁 달려왔어.
이, 이게
어찌 된
일인가?

이 애들이,
이 애들이
……!

암피온은 충격을
이기지 못해 스스로
목숨을 끊었어.
크으윽

뒤이어 일곱 딸들이
몰려왔어.
어머니, 무슨
일이에요?

니오베는 죽은 아들들
옆에 무릎을 꿇고,
그들의 뺨에
입을 맞추었어.

그리고 하늘을 향해
울부짖었어.
잔인한 레토 여신이시여,
내 아들들을 다 죽였으니
가슴이
후련하시겠군요!

내 불행을
즐기시려면
마음껏
즐기세요!
그렇지만 아직도
나는 당신보다
자식이 많아요!
딸들은
내가 맡지!
피잉
첫째 딸이 비명을
지르며 아들들 시체
위에 쓰러졌어.
아악

얘야!

둘째 딸은 어머니를 위로하려고 했어.
어머니, 울지 마세…….
하지만 말을 맺지 못하고 쓰러졌어.
셋째는 도망치려다 쓰러졌고,

넷째는 사람들 뒤에
숨으려다 쓰러졌고,
으윽!
다섯째와 여섯째는
어쩔 줄 몰라 벌벌 떨다가
쓰러졌어.
아악!
인제 니오베에게는
막내딸 하나밖에 남지 않았어.
엄마야!
이 애,
이 애만은
살려 줘요!

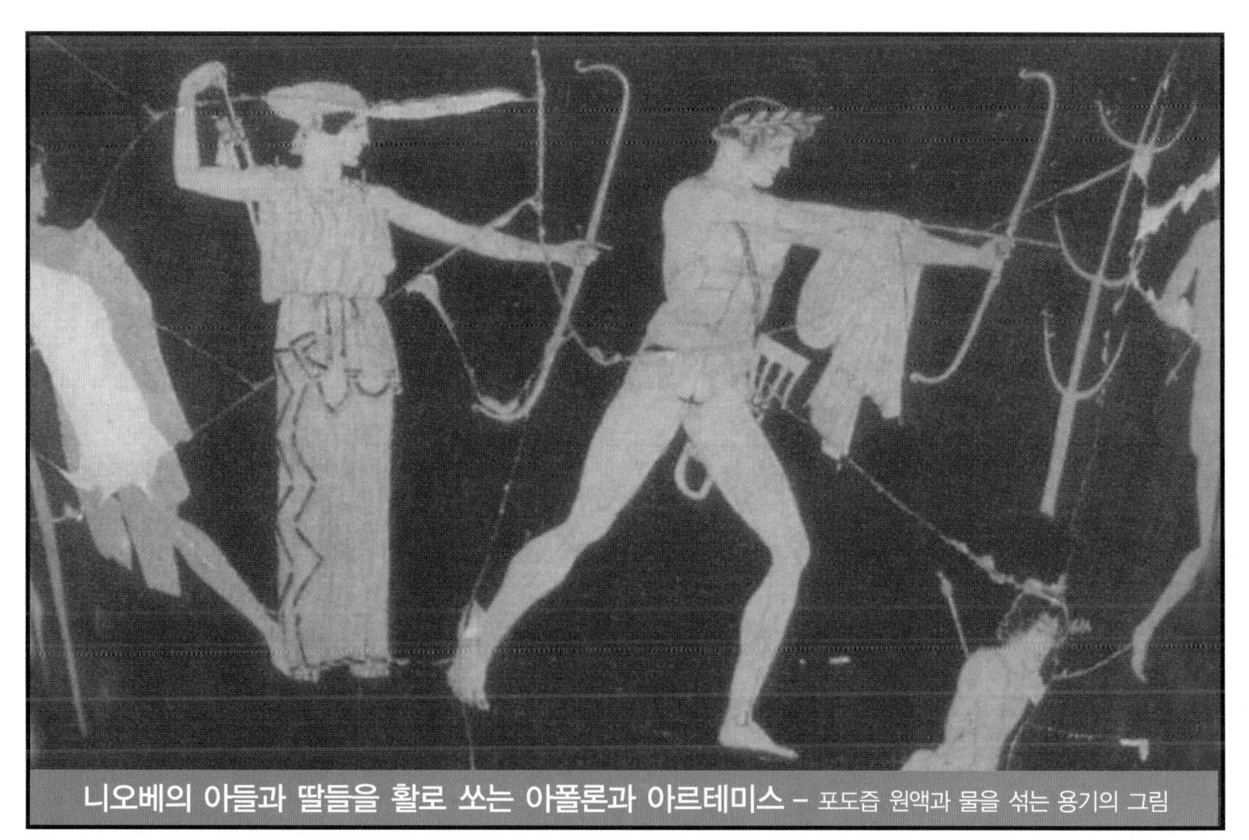

니오베의 아들과 딸들을 활로 쏘는 아폴론과 아르테미스 – 포도즙 원액과 물을 섞는 용기의 그림

니오베는 죽은 아들들과
딸들, 그리고 남편을
보았어.
오오,
어찌 이런
일이……!

눈물이 쉴 새 없이
흘러내렸어.

이윽고 니오베는
바위로 변해
버렸어.

처음엔 니오베가
벌을 받는 게
고소하다고
생각했는데,
지금도 니오베는 바위로
남아 있는데, 그
바위에서 끊임없이
눈물이 흘러내리고
있단다.

너, 우니?
니오베가
너무도 가엾어요.

니오베가 좀
가엾기는 해.
그럼 오빤
슬프지 않아?

남자들은
감정이 메말랐어.

여자들은
눈물이
너무 헤퍼.

그런데 아빠,
응?

니오베가
레토 여신보다
잘났다고 뽐낸 것은
잘못인데,

아폴론과 아르테미스가
죄 없는 열네 남매를
모두 죽인 것은
너무 멋대로인 것
같아요.
맞아요.

신이면 인간을
그렇게 죽여도
되나요?

너희 말이 맞아.
그리스 신화에는
잔인한 신들의
이야기가 많아.

페르세우스의 모험

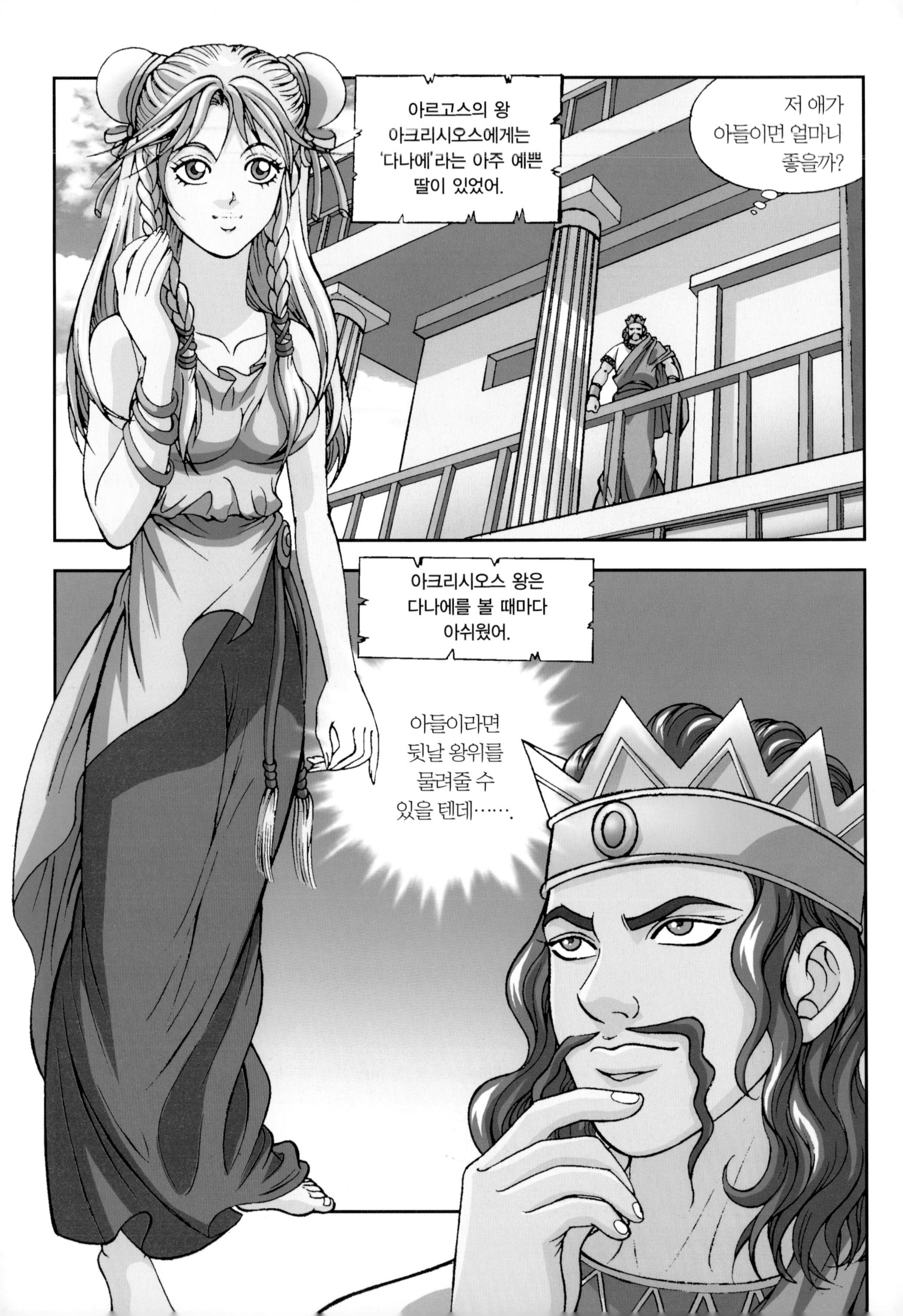
아르고스의 왕
아크리시오스에게는
'다나에'라는 아주 예쁜
딸이 있었어.
저 애가
아들이면 얼마나
좋을까?
아크리시오스 왕은
다나에를 볼 때마다
아쉬웠어.
아들이라면
뒷날 왕위를
물려줄 수
있을 텐데…….

왕은 델포이 신전을 찾았어.
아들을 원하는데 낳을 수 있을까요?

그런데 여 사제의 말은 놀라웠어.
아들을 낳을 수 없다.
예?

그리고 그대는 딸이 낳은 외손자의 손에 죽을 것이다.
뭐라고요?

왕은 궁전에
청동 탑을 세우고,
그 안에 다나에를
가두어 버렸어.
내보내
주세요!

저렇게 가두어 두면
남자들의
눈에 띄지 않아
다나에가 결혼을
못하겠지.

결혼을 못하면
나를 죽일
외손자도 낳지
못할 테고…….

다나에는 탑의
구멍으로 파란 하늘과
흰 구름을 올려다보며
슬픈 나날을 보낼 수밖에
없었어.
세월이 흘러
다나에는 예쁜
처녀가 되었어.
아, 난 언제나 저 밝은
세상에 나가 살게 될까?

어느 날, 제우스가
땅을 내려다보다가
오오!

탑 구멍에
얼굴을 대고 밖을
내다보는 다나에를
발견했어.
으음, 참
아름다운
처녀로구나.

제우스는 황금빛
비로 변신해
탑의 구멍으로
들어갔어.
어머,
웬 황금빛
비가

내 몸을
감싸지?
황금빛 비는
갑자기 제우스로 변했어.
다나에,
사랑하오.
앗!
누, 누구세요?

나는
제우스요.
네?
제우스 님
이시라고요?

제우스는
다나에와 하룻밤을
지내고 떠났어.
아,
제우스 님…….

그 후, 다나에는
제우스의 아들
페르세우스를 낳았어.
응애

페르세우스는
큰 소리로 우렁차게 울었어.
응애 응애
산책하던 왕은
그 소리를 듣고
깜짝 놀랐어.
응애
응애
이, 이게
무슨 소리지?
응애
응애
왕은 청동 탑으로 갔어.
문을 열어라!
예.

감시병이
청동 탑 문을
열었어.
끼이잉

왕은 안으로
들어갔어.

다나에가 아기를
안고 있었어.
누구의
아이냐?
제우스 님과
저의 아들이에요.

뭐라고?
제우스 님의
아들?
네.
왕은 생각했어.
그래, 제우스 님이
아니라면 청동 탑에
갇혀 감시받고 있는
다나에에게 아기를
낳게 할 수 없었을 거야.
저 아이가 크면
나를 죽이겠지.

왕은 신하들에게
소리쳤어.
다나에와 아이를
상자에 담아
바다에 띄워
버려라!
예.
신하들은 큰 상자에 다나에와
아기를 넣고, 뚜껑을 닫아
못질한 뒤에 바다에 띄웠어.
첨벙

왕은 혼자
중얼거렸어.
제우스의 아들을
내 손으로 죽이면
큰 벌을 받게
되겠지.

그렇지만 바다에
띄워 버리면,
굶어 죽어도
내 죄는 아니야.

바다의 신인
포세이돈의
죄가 돼.

다나에는 상자 속에서
아기를 꼭 안은 채로
파도에 흔들리며 흘러갔어.

아가야, 너는 제우스 님의 아들이니까 제우스 님이 너를 돌봐 주실 거야. 그러니 걱정하지 마.
맘마, 맘마…….
아기는 벌써 엄마를 알아보았어.
상자는 흘러가다가 세리포스 섬의 바닷가에 닿았어.
에게 해
델포이
아르고스
세리포스 섬
지 중 해

바닷가 근처에서 사는
'딕티스' 라는 어부가
상자를 발견했어.
어? 저게
뭐지?
바닷물에
밀려왔군.
딕티스는 상자의
뚜껑을 열었어.
앗!
딕티스는 놀랐어.
아기를 안은
아름다운 여자가
상자 안에 있어서였어.
구해 줘서
고마워요.

딕티스는 다나에와
아기를 집으로
데리고 갔어.
여보, 우리에게
아이가 없다는
것을 알고,
어느 신께서
보내 주셨는가
보오.

딕티스의 아내도
기뻐했어.
꺄악
어머,
예쁘기도
해라.

고맙
습니다.
우리, 여기서
함께 삽시다.

딕티스 부부는
다나에와
페르세우스를
잘 보살펴
주었어.

페르세우스는
무럭무럭
자랐어.
그는 영리할 뿐 아니라
힘도 세어,
와, 천하장사로군.
달리기, 창던지기,
활쏘기 등에서 언제나
우승했어.
명중!

그리고 딕티스를 도와
고기잡이도
열심히 했어.
페르세우스의
솜씨가 좋아
고기를 많이
잡았다!
내일은 고래도
한 마리 잡아
볼까요?
어느 날, 딕티스의 형이며
이 섬나라의 왕인 '폴리덱테스'가
동생 집에 왔다가
다나에를 보았어.
오오, 참으로
아름다운 여자다.
형님, 왜 식사는
하지 않고
다나에 씨만
보세요?

다나에에게 첫눈에 반한 왕은
날마다 찾아와 치근거렸어.
그래.
형님,
또 오셨
군요.
네?
다나에,
나와 결혼해
주시오.
저는 제우스 님과
결혼해, 아들까지
두었어요.
그런 말씀 마세요.

어머니 말씀
들으셨죠?
어머니를 괴롭히지
말아 주세요.

왕은 다나에를
납치해서라도
결혼하고 싶었어.
그냥 업어 가
버릴까?

그러나 다나에의 곁에 늘
페르세우스가 있어서 그럴 수
없었어.
다나에가 내 청혼을
거절하는 것은 저 녀석이
있기 때문인지도 몰라.

먼저 저 녀석을
없애야겠어.

왕은 궁전으로 돌아와,
페르세우스를 없앨 궁리를
했어.
좋은
방법이
없을까?

이윽고 왕은
신하를 불렀어.
여봐라!

나는 이웃 나라
공주와 결혼하기로
했다.
이 소식을 백성들에게
알리고, 나라의 유지들을
모두 불러 잔치를 열어라.
예.

물론, 왕이 결혼한다는
것은 거짓말이었어.
잔치를 열어
페르세우스를 함정에
빠뜨려야겠다.
이 나라에서는
왕이 결혼하게 되면
나라의 유지들을
불러 잔치를 열고,
참석한 유지들이
왕에게 말을 바치는
관습이 있었어.

유지들이 모두 잔치에
참석했어.
와글
와글

페르세우스도
참석했어.
나는 제우스의
아들이니까…….
분위기가 무르익자,
앞쪽에 앉은 사람부터
차례로 자리에서
일어나 말했어.
저는 말 한 마리를
바치겠습니다.
저는
두 마리!
마침내 페르세우스의
차례가 되었어. 페르세우스는
천천히 일어나 말했어.
아시다시피, 저는
어부 딕티스 님의
집에 얹혀사는
처지여서
말이 없습니다.
사람들이
웅성거렸어.
뭐라고?
그럼 말을
못 바치겠다는
말인가?
우리의 오랜
관습을 무시
하겠다고?
말도 안 돼.

페르세우스는 왕을
똑바로 보며 말했어.
말을 못 바치는 대신,
임금님께서 바라시는
일을 한 가지
해 드리겠습니다.

페르세우스가
왕의 함정에
빠진 거야.
어머, 어떡해?
왕은 음흉한
미소를 지었어.
오, 그래?
그렇다면
메두사의 머리를
베어다 다오.

사람들이 모두
크게 놀랐어.
뭐라고?
메, 메,
메두사?
메두사의
머리를?

사람들이 이렇게
놀란 데는 이유가 있었어.
이유요?
뭔데요?

메두사는
'고르곤(고르고)'
이라는 흉측한
세 자매 괴물 중
막내였어.

아, 1권 62쪽에
잠깐 나왔어요.
고르곤들은
머리카락이 모두
무시무시한
뱀이고,
멧돼지처럼
커다란 엄니가
튀어나왔으며,

손이
청동으로 되어 있다고
하셨죠?
그래. 그런데 세 자매 가운데
막내인 메두사는, 처음에는
두 언니와는 달리 아주
예쁜 처녀였어.
특히, 길고
윤기 나는
머리카락이
매력적이었지.
메두사는 그걸
크게 자랑했어.
나도 아테나
여신만큼 아름다워.
머리카락은
아테나 여신보다
더 멋져.
바다의 신 포세이돈은
예쁜 메두사를
탐냈어.

포세이돈은
메두사를 따라다녔어.
메두사,
사랑해.

메두사도 포세이돈을
좋아했어.
어머,
남들이
다 봐요.
보면
어때?

그러지 말고
절 따라오세요.

메두사는 포세이돈을
아테나 신전으로 데리고
가서 사랑을 나누었어.
깔깔깔
와하하...

아테나가 발끈했어.
포세이돈을 내 신전으로 유혹하다니!

메두사!
어머!

감히 나와 아름다움을 겨루고, 내 신성한 신전에서 사랑을 나눠?
아, 아, 아테나 님, 잘못했어요.

두 언니보다
더 흉측한
모습이 되어라!
악!

내 꼴이
이게 뭐야?

그 뒤, 사람들은
메두사의 얼굴을 보면

피가 얼어붙고
돌로 변해 버렸어.

그래서 많은 사람들이 메두사를 없애려고 했으나,
모두 돌로 변해 버렸겠군요.
잔치에 참석한 사람들이 왕의 말을 듣고
크게 놀란 건 당연했어.
페르세우스에게 죽으러 가라는 말과 같았으니까요.
그런데 페르세우스는 분명히 말했어.
꼭 메두사의 머리를 베어다 선물로 드리겠습니다.

페르세우스가 너무도 쉽게 대답하자, 오히려 왕이 놀랐어.
그래? 꼭 메두사의 머리를 베어 오겠다고 했것다!
페르세우스는 힘차게 대답했어.
예, 임금님.
메두사에 대해 잘 알지 못했기 때문이지.
음, 좋다. 그러면 어서 가서 선물을 가져오도록 해라.
그런데 메두사가 어디에 있지요?
바다 건너 먼 외딴섬에 있다는 이야기만 전해질 뿐,
정확한 곳은 아무도 모른다.

그렇습니까?
그러면 제가
찾아서 머리를
베어 오겠습니다.
페르세우스는
집으로 가서
어머니에게 작별
인사를 했어.
어머니,
다녀오겠어요.
다나에는 크게 걱정되었어.
메두사가 있는
곳도 모르는데
어떻게
찾아가려느냐?
델포이 신전에
가서 신탁을
들을까 해요.

제가 돌아올 때까지 왕을 조심하세요.
그게 좋겠다. 잘 다녀오너라.
페르세우스는 섬을 떠나
델포이 신전으로 갔어.
메두사가 있는 곳을 찾아가려 합니다. 어디입니까?
사람들이 도토리를 먹고사는 땅을 찾아라.

늘 그렇듯이, 신탁은
아주 알쏭달쏭한
말이었어.
페르세우스가
알아들었을까요?
오빠,
그런 말을
어떻게
알아들었겠어?

페르세우스는
신전에서 나와
정처 없이 걸었어.
사람들이
도토리를
먹고사는 땅?
지친 페르세우스는
길가에 털썩
주저앉았어.
도대체
그 땅이
어디 있담.

제우스가 올림포스에서
페르세우스를
내려다보았어.
으음,
내 귀여운
아들이 가엾게
되었군.
제우스는 헤르메스를
불렀어.
가서, 네 동생
페르세우스를
도와주어라.
예.
헤르메스는
페르세우스에게 갔어.
페르세우스!
아,
헤르메스 형!

왜 그렇게
울상을
짓고 있지?
메두사의 머리를
베어 가야 하는데,
메두사가 있는
곳을 몰라
헤매고
있어요.

그래?
메두사가
있는 곳은
나도 몰라.

그렇지만
메두사가
있는 곳을 아는
괴물들은
알아.
괴물들요?

서쪽으로 한참 가면,
온통 잿빛인
곳이 있다. 그곳에
'그라이아이'라는
세 괴물 자매가
살고 있어.
그라이아이?

괴물 '그라이아이'도
1권 62쪽에 나왔었는데
기억나니?
네, 아빠.
내어날 때부터
노파였죠.

그들은 고르곤들과도
자매 사이니까
메두사가 있는 곳을
알 거야.

내가 널
그들에게
데려다 주지.

헤르메스는
페르세우스와 함께
서쪽으로 날아갔어.

그라이아이는
셋이서 눈 하나와
이빨 한 쌍을
번갈아 가며
사용한단다.
그들에게 가면
일단 눈을
빼앗고,

고르곤들이 있는
곳을 가르쳐 주지
않으면 눈을
돌려주지
않겠다고 해라.

그러면
가르쳐 줄
수밖에 없을
것이다.

이윽고, 헤르메스와
페르세우스는
그라이아이가 있는 곳에
이르렀어.

헤르메스는
페르세우스를
숲에 내려 주었어.
자, 그럼
나는 갈 테니까
잘해 봐라.

페르세우스는
발소리를 죽이고
숲을 살펴보았어.
괴물들이
어디 있지?

앗!

그라이아이가
동굴 속에 모여
앉아 있었어.
셋이서
눈 하나,
이빨 한 쌍을
사용하려니
너무 불편해.
우리는 왜
이렇게 불편하게
태어났지?

페르세우스는
동굴 어귀에
몸을 숨겼어.
조심!

세 노파의
말과 행동은
우스꽝스러웠어.
인제 내가
눈을 사용할
차례야.
어서 줘.

이마에 눈을
달고 있던 노파가
눈을 떼어 내밀었어.
자,
여기 있어.

이때, 페르세우스가
눈을 가로챘어.

눈을 왜
빨리 안 줘?
줬잖아!

언제 줬어?
방금 가져갔잖아.

페르세우스가 나섰어.
눈은 내가
가지고 있다.
누, 누구야?

고르곤 자매들이 있는 곳을 가르쳐 주면 눈을 돌려주겠다. 그렇지 않으면 눈을 호수에 던져 버리겠다.
뭐라고?
눈을 호수에 던져 버려?

눈이 없어 답답해진 노파들은 손을 마구 내저으며 떠들어 댔어.
어떡하지?
누군지도 모르는데, 어떻게 그 애들이 있는 곳을 가르쳐 줘?

혹시라도 그 애들을 해치면 어떡해?

누가 그 애들을 해칠 수 있겠어?

맞아. 지금까지
많은 사람이 그 애들을
해치려다 돌로 변해
버렸잖아.
아이, 답답해!
눈이 없으니까
미칠 것 같아!

가르쳐 주자.
눈이 없으면
안 되잖아.
그래, 빨리
가르쳐 줘!

한 노파가 나섰어.
가르쳐 주면
틀림없이
눈을 돌려줄
거지?
약속한다.

그렇다면 가르쳐 주지. 서쪽 멀리 떨어진 섬이야.
그래? 고맙군. 그런데 한 가지만 더 가르쳐 줘.

뭔데?
세 자매 가운데 누가 메두사인지를 어떻게 알 수 있지?

그야 쉽지. 메두사 머리에 있는 뱀들은 독사여서 머리가 삼각형이고,

다른 애들의 뱀들은 독사가 아니어서 머리가 둥그니까.

메두사를
보면 돌이 되어
버린다는데,
어떻게 그들의
머리를 살펴볼 수 있지?

그거야
당신 사정이지.
하긴
그렇군.

페르세우스는
그라이아이의 눈을
호수에 던져 버렸어.
퐁당

눈을 되찾으면
노파들이 덤빌지도
모르고,
그들은 세상에
필요하지도
않으니까.

페르세우스는
서쪽으로 향했어.
메두사를 보면
돌로 변해
버린다는데,
어떻게 보지 않고
목을 베지?

페르세우스는
방법을 찾지 못해
힘이 빠졌어.
메두사,
메두사…….

제우스는 이번에
아테나를 불렀어.
저 불쌍한
녀석을 좀
도와주렴.
네,
아버지.

아테나는 기뻐서
크게 대답했어.
아직도
메두사가
아주 미우니까요.

그런데 페르세우스를
도와주려면
몇몇 신들의 물건을
빌려 가야 될 것
같아요.

그래? 그렇다면
그렇게 해야지.
그럼
다녀오겠어요.

아테나는 준비를 마치고
페르세우스에게 갔어.
슈우우웅
페르세우스!
아,
아테나 누나!

네가
베두사의
목을 베는 데
필요한
것들을
가지고 왔다.
고,
고마워요!

이것은 헤르메스한테
빌린 신발이다.
이것을 신으면
하늘을 마음대로
날 수 있다.

이것은 하데스 님의
마법 투구다.
이것을 머리에
쓰면 모습이
보이지 않게
된다.

이것은 아레스의
칼이다. 무엇이든
단번에 벨 수 있다.
이것은 헤라 님의
마법 자루이다.
넣은 물건의 크기에
따라 자루의 크기도
달라진다.
이것은 내 청동 방패이다.
거울처럼 무엇이든 비춰 주니,
메두사를 비춰 보고
머리를 벨 수 있다.
자, 그럼 어서
메두사를 찾아가거라.
행운을 빈다.

아테나는 손을 흔들며
멀어져 갔어.
고마워요,
누나.

페르세우스는 아테나가 준 것들로
단단히 무장하고 서쪽으로 날아갔어.

아, 저
섬이로구나.

섬에는 메두사를 보고
돌로 변한 사람들이
많이 있었어.
인제
조심해야겠군.

페르세우스는 청동
방패로 앞쪽을 비춰
보면서 걸어갔어.

마침내, 고르곤들의
흉측한 모습이
방패에 비쳤어.
모두 잠들어 있었어.
찾았다!

메두사다!

페르세우스는 방패에
비친 메두사에게 다가가,
칼로 단번에 목을 쳤어.

이때 메두사의
잘린 목에서 피가
솟구쳤는데,
끔찍해!
그 피에서 날개 달린 말
'페가소스'와 거인
'크리사오르'가 솟았어.
히이잉
이 둘에 관한 이야기는
나중에 따로 해 주기로
하고…….

페르세우스는
메두사의 머리를
마법 자루에 넣었어.

페가소스의 울음소리를 듣고,
자고 있던 고르곤 언니 둘이
잠에서 깼어.
이게
무슨 소리지?

앗, 메두사,
메두사가……!
머리가
없어졌어!

누가
이랬지?
어느 놈의
짓이지?

고르곤 두 자매는 날개를 퍼덕거리며
메두사의 몸통 위를 빙빙 돌았어.
하지만 마법 투구를 쓴 페르세우스의
모습은 발견할 수 없었어.
아무도
없어.
후후,
잡을 테면
잡아 봐라!
페르세우스는 메두사의
머리가 든 자루를 들고
하늘로 날아올라,
안녕!

섬에서
멀어져 갔어.

페르세우스는 섬이
보이지 않는 곳까지 날아가자,
마법 투구를 벗어 모습을
드러내고는 세리포스
섬으로 향했어.

그런데 방향을 잘못 잡아,
아프리카의 에티오피아
바닷가 위로 날아갔어.
여기가
어디지?

페르세우스는 아래를
내려다보다가 놀랐어.
앗,
저게 뭐지?

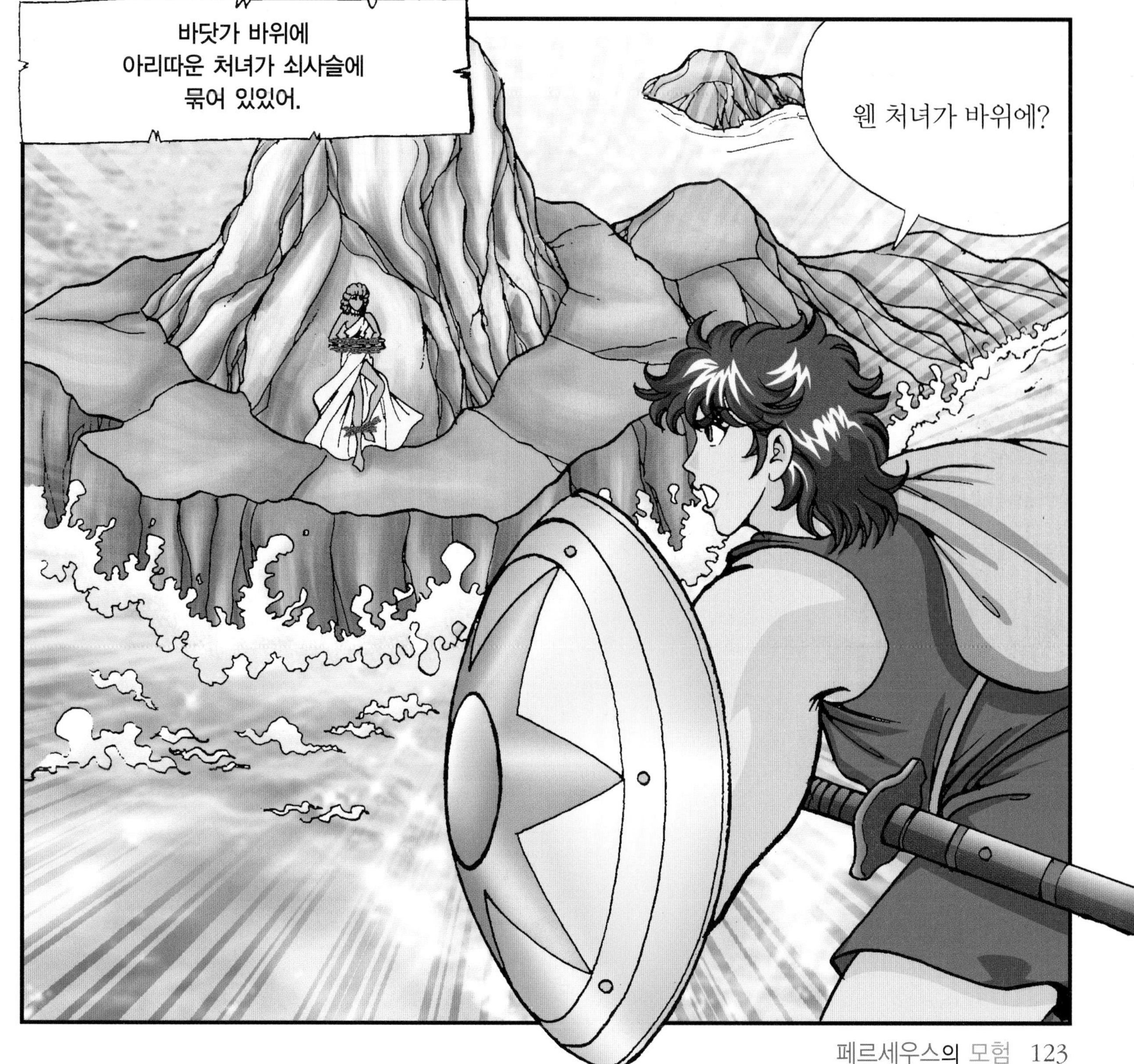
바닷가 바위에
아리따운 처녀가 쇠사슬에
묶어 있었어.
웬 처녀가 바위에?

페르세우스는
처녀에게 다가갔어.
누구신데
왜 이렇게……?

처녀는 겁에 질려 있었어.
어서 달아나세요.
그렇지 않으면
무서운 바다 괴물에게
잡아먹혀요.
바다 괴물
이라
고요?
네, 커다란 뱀
같은 거예요.
그 괴물이
왜 나타나죠?

지를
잡아먹으려고요.
잡아
먹어요?
네, 그런
사정이 있어요.
처녀는 그 사정을
이야기했어.
처녀는 이름이 '안드로메다'인데,
에티오피아의 왕 케페우스와
왕비 카시오페이아 사이에서
태어난 공주였어.
그런데 왕비는 허영심이 많아,
늘 사람들에게 자랑했어.
난 네레이스들보다
더 예뻐요.
안 그래요?

네레이스들은 포세이돈에 앞서 바다의 신이었던 네레우스의 50명이나 되는 딸들로, 바다의 요정들이었어.
뭐라고? 카시오페이아가 우리보다 예쁘다고?
인간인 주제에 감히 신의 딸들과 겨루다니!

네레이스들은 바다 괴물에게 명령했어.
가서 에티오피아를 쑥대밭으로 만들어라!
예.

괴물은 에티오피아로 가서, 사람들을 닥치는 대로 잡아먹고 집들을 부쉈어.
콰광
으악, 괴물이다!
사람 살려!

왕은 근심에 잠겼어.
이리다간 나라가 망하겠다. 누군가가 신의 노여움을 산 게 틀림없다.

신전에 가서 신탁을 들어 보자.
왕은 신전으로 갔어.

바다 괴물로부터 나라를 구하려면 어떻게 해야 합니까?
그런데 신탁은…….
네 딸을 바닷가 바위에 묶어 바다 괴물에게 바쳐라.
예? 하나밖에 없는 제 딸을요?

왕은 기절할 듯이 놀랐으나,
신탁에 따를 수밖에
없었어.
아, 아,
알겠습니다.

공주는 말을 마치고
깊은 한숨을 쉬었어.
아, 그래서
이렇게
묶이게
되셨군요.
그렇지만
공주님,
걱정하지
마세요.

페르세우스는
공주를 묶은
쇠사슬을 풀려고 했어.
제가 구해
드리겠습니다.

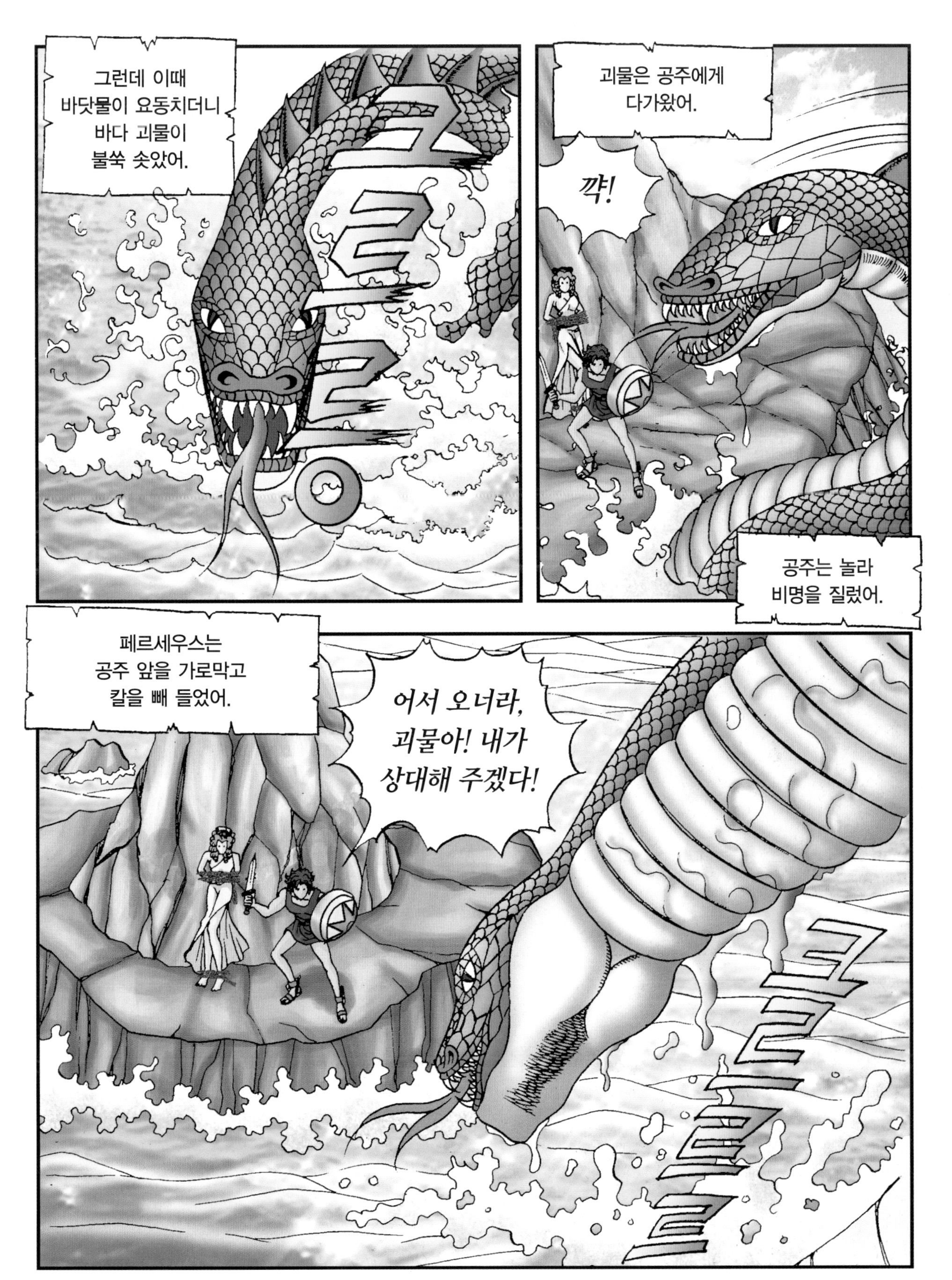
그런데 이때
바닷물이 요동치더니
바다 괴물이
불쑥 솟았어.
크르르릉
괴물은 공주에게
다가왔어.
꺅!
공주는 놀라
비명을 질렀어.
페르세우스는
공주 앞을 가로막고
칼을 빼 들었어.
어서 오너라, 괴물아! 내가 상대해 주겠다!
크르르르

괴물은 입을 쩍 벌리고
페르세우스에게 덤볐어.
페르세우스는
하늘로 솟구쳤다가

내려오며 괴물의
목덜미를 칼로
찔렀어.
푸
욱
얏!

상처를 입은 괴물은
물속으로 들어갔다가 다시 솟으며
페르세우스에게 덤볐어.
이키!
끼
야
악

페르세우스는 괴물의 공격을 피하고 다시 한 번 높이 솟았다가 내려오며 괴물의 목을 칼로 찔렀어.
에잇!

괴물은 크게 비명을 지르며 바닷속으로 사라져 버렸어.

붉은 피가 바다를 물들였어. 그래서 이 바다를 '홍해(붉은 바다)'라고 부르게 되었지.

페르세우스는 칼을 거두고 안드로메다에게 갔어.
공주님, 인제 안심하십시오.

공주는 기뻐서 눈물을 흘렸어.
고마워요.

페르세우스와 안드로메다(부분) - 파올로 베로네세 그림

왕비는 기뻐서 눈물을
흘렸어.
고마워요.
자, 궁전으로
가시죠.

왕과 왕비는
페르세우스를 궁전으로
초대해 잘 대접했어.
자, 자,
많이 드시오.

왕이 페르세우스에게
말했어.
젊은이, 소원이
있으면 말해 보시오.
내가 할 수 있는
일이라면 무엇이든
해 주겠소.

따님과
결혼하고
싶습니다.
페르세우스는
공주를 돌아보며 말했어.

공주도
페르세우스를 보며
환하게 웃었어.

왕비도
기쁜 표정이었어.
좋소, 결혼을
허락하오. 뿐만
아니라 이 나라도
주겠소.

이때, 왕의 동생인
피네우스가 부하들을 이끌고
들이닥쳤어.
안 됩니다!
공주는 나의
약혼녀입니다!

왕이 벌컥
성을 냈어.
피네우스, 너는 내 딸이
제물로 바위에
묶일 때
나타나지도
않았다!
내 딸이 신탁에
따라 제물이
되기로 했을 때,
너와의 약속은
무효가 되었다.
그래도
약혼을
내세우는가?
어쨌든 공주는
나와 결혼해야
합니다!
피네우스는 창으로
페르세우스를 겨누었어.
네놈은 누군데
남의 약혼녀를
빼앗으려 하느냐?

피네우스는
페르세우스에게
창을 던졌어.
핑
앗!
콱
페르세우스는 창을 피하고,
옆 사람의 창을 들어
피네우스에게 던지려고 했어.
이번엔 내
차례다!
피네우스는
얼른 돌기둥
뒤로 숨었어.
이키!

피네우스의 부하들이
페르세우스에게 덤볐어.
죽여라!
와아

잔치는
순식간에 아수라장이
되었어.
와아
악!
으악!
꺅!
페르세우스는
위험을 느끼고
소리쳤어.
내 편인 분들은
모두 눈을
감으시오!

그리고 자루에서
메두사의 머리를
꺼내 높이
들었어.

피네우스의 부하들은
그대로
돌이 되어 버렸어.

피네우스는
두 눈을 꼭
감은 채로 돌기둥
뒤에서 나왔어.
공주님을
빼앗아 가도
좋으니 목숨만
살려 주십시오.

페르세우스는
피네우스를 노려보았어.
이 비겁한 자야,
너는 이 사건의
기념품으로
내 집에 보관될
것이다!
그리고 메두사의 머리를
피네우스의 눈앞에
들이밀었어.
피네우스는
돌이 되어 버렸어.
그런데 공주의 비명이
들렸어.
앗! 아버지,
어머니!

불행히도 왕과 왕비도
메두사의 머리를 보고
돌로 변해 버렸어.
오오……!

신들은 그들을 불쌍히 여겨,
하늘의 별자리로 만들어 주었어.
케페우스자리
(세페우스자리)는 가을에
북극 가까운 하늘에서
빛나는 별자리이고,

카시오페이아자리는
너희들도 잘 아는 W(더블유) 자
모양의 별자리지.

카시오페이아자리는
특히 북극성을
찾는 데 흔히 쓰이고 있지?

별자리마다
다 사연이 있군요.

별자리가 생긴 사연을
알고 보면 훨씬 흥미롭지?
친구들에게 자랑할
수도 있고…….
오늘 밤에
당장 애들한테
자랑해야지.

앞으로도 별자리에
얽힌 이야기가
나올 거야.
그런데 슬픈
것이 많아.
이 이야기의 주인공인
페르세우스와 안드로메다도
나중에 별자리가 돼.
빨리
듣고 싶어요!
빨리
자랑하고
싶어서?

아뇨.
재미있어서요.
아빠,
저도요.
그럼 하던 이야기를
마저 하고
다음 이야기로
넘어가도록 하자.

페르세우스는 안드로메다를
안고 하늘을 날아
고향 집으로 갔어.
어머니!
그런데 집이
이상하게 조용했어.
어머니,
저 왔어요!

어부 딕티스의
아내가 나타났어.
어머니는
안 계셔.
예?
안 계신다고요?
네가 메두사의
머리를 베러
떠난 뒤,
왕이 어머니를
강제로
데려가려 했어.
그래서
딕티스가
어머니를
어딘가에
몰래 숨겼어.

어머니를
납치하려고
나를 멀리
보냈었군!
이런 나쁜 놈!

어머니가
널 몹시
기다렸단다.
알았어요.
왕을 만나고
오겠어요.

페르세우스는
궁전으로 갔어.

왕은 신하들과 잔치를 열고
있었어. 페르세우스는
다짜고짜 왕에게
소리를 질렀어.
내 어머니는
어디
계시오?
내, 내가
그것을 어찌
알겠느냐?

왕은 당황해
얼버무리고 물었어.
메, 메두사의
머리는 베어
왔느냐?
페르세우스는 메두사의 머리를
자루에서 꺼내 왕의 눈앞에
치켜들었어.
당신이 그렇게
원하던
메두사의
머리가
여기 있소!
악!
왕은 메두사의
머리를 보고 돌이 되어 버렸어.
신하들도
마찬가지였어.

왕이 돌이 되자,
백성들이 궁전으로 몰려와
기뻐했어.
나쁜 왕이
죽었어!
왕이
죽었다!

어부 딕티스가 페르세우스의
어머니를 데리고 나타났어.
페르세우스!
어머니,
무사하셨군요!

페르세우스가
백성들에게 소리쳤어.
여러분,
착한 딕티스 님을
새로운 왕으로
모시는 게
어떻겠습니까?
백성들이
모두 환호했어.
좋습니다!
딕티스 왕,
만세!

딕티스는
왕이 되었고

페르세우스와
안드로메다의 결혼식을
성대하게
치러 주었어.

두 사람의
행복을 빈다.

백성들이
모두 기뻐했어.
아주 멋진
한 쌍이군요!
축하해요.

한 젊은 부부가
신랑과 신부를 보며
말했어.
신랑이 어쩌면 저렇게 잘
생겼을까? 나도 저런 남자에게
시집가 봤으면…….

신부는 어떻고?
니도 지런 신부힌데
장가들어 봤으면…….

여봇! 당신, 지금
뭐라고 했어요?
당신은
뭐라고 했지?

결혼식을 마친 뒤, 페르세우스는
아테나에게 빌린 물건들을
돌려주었어.
아테나 누나 덕분에 메두사
머리를 베고 아름다운
신부까지
얻었어요.
페르세우스,
수고 많았다.

이 메두사 머리는
인간이 갖고
있으면 위험하니,
아테나 누나께
기념으로
드리겠어요.
고맙다.

아테나는 메두사
머리를 자기의
방패에 붙였어.
시간이 지나자,
메두사 머리는
사람을 돌로 변하게 하는
힘을 잃었어.
어느 날
페르세우스가
말했어.
어머니,
외할아버지는
어떻게 지내실까요?
뵙고 싶어요.
나도 늘 뵙고
싶단다. 많이
늙으셨겠지.

영웅이 된
저를 보면
기뻐하실까요?
기뻐하시겠지. 신탁 때문에
우리를 상자에 넣어 바다에 띄워
버리셨지만, 그 일 때문에
아직도 가슴 아파하실 거야.

어머니,
그렇다면
외할아버지를
뵈러 가요.
가서 위로해
드려요.
그것 참
좋은 생각이다.

페르세우스는 어머니를 모시고,
안드로메다와 함께 배를 타고
고국으로 향했어.

한편,
아르고스에서는

한 신하가 뛰어와
아크리시오스 왕에게
아뢰었어.
임금님, 임금님의
외손자 페르세우스가
영웅이 되어 임금님을
뵈러 오고 있다
합니다!
뭐라고?

임금님,
이런 기쁜 일이
어디
있겠습니까?
으음…….

왕은 신탁을
떠올렸어.
그대는 딸이
낳은 외손자의
손에 죽게 될
것이다.

외손자의 손에
죽을 수는 없어!
벌떡

왕은 서둘러
허름한 옷으로
갈아입었어.

그리고 아무도
몰래 궁전
뒷문으로 나가
어디론가로 떠났어.

마침내 페르세우스
일행이 궁전에 이르렀어.
외할아버지!

그런데 왕좌는
텅 비어 있었어.
아버님!

페르세우스는 궁전을
돌아다니며
외할아버지를 찾았어.
외할아버지!

그런데 한 방에서
아무렇게나 벗어 놓은
외할아버지의 옷을
발견했어.
어떻게
된 일이지?
앗, 외할
아버지의
옷이
……!

이때, 외손자가 오고 있다고 왕에게 보고한 신하가 와서 말했어.
두 분이 오신다고 보고드릴 때, 임금님께서는 심각한 표정을 짓고 계셨습니다.

아마도, 일부러 피하신 것 같습니다.

참으로 뜻밖의 말이었어.
어머니, 그렇다면 외할아버지께서는 아직도 그 신탁을 두려워하고 계신 걸까요?

아아, 신탁……!
그러시겠지, 신탁이니까.

신하들은 페르세우스를
새 왕으로 받들었어.
하루라도 나라에
임금님이 안 계시면
안 됩니다.

페르세우스는 신하들에게
당부했어.
백성들이 평화롭게
잘 살 수 있도록
힘쓰시오.
예.

그런데 어느 날,
한 신하가 말했어.
임금님,
라리사의 왕이
돌아가신 선왕을
기리는 경기 대회를
여는데…….

임금님께서도
꼭 참가해
주십사
초청했습니다.
오, 그래?
참가하고
말고.
페르세우스는
라리사로 갔어.
경기가 시작되자, 페르세우스는
원반을 들고 경기장으로
내려갔어.
와
와
페르세우스가
원반던지기의
창시자라는
이야기도 있어.

페르세우스는
원반을 힘껏 던졌어.
휘
원반이 힘차게
하늘로 솟았어.
그런데 이때 갑자기
바람이 세게 불어, 원반이
관중석으로 날아갔어.
퍽

관중석에 앉아 있던
허름한 옷차림의 노인이
원반에 맞아 죽고 말았어.
노인이
죽었어!
앗, 사람이
죽었다!
관중들이
소리쳤어.

뭐라고? 내가 던진 원반에
사람이 맞아 죽었다고?

페르세우스는
관중석으로 뛰어갔어.
다나에와 안드로메다도
같이 갔어.

다나에가 죽은
노인을 보고 소리쳤어.
앗,
아버님!

페르세우스도 놀랐어.
예? 외할아버지
시라고요?

다나에는 아버지의
시체를 안고 통곡했어.
이렇게 해서
신탁이 이루어졌어.
아버지

페르세우스는
더 이상 아르고스에서
살고 싶지 않아
아르고스를 이웃의
작은 도시와 바꿨어.

그리고 그 도시의 왕이 되어
큰 도시로 발전시켰어. 이 도시가
미케네야.

황금빛 양

그리스 보이오티아 지방의
오르코메노스에는
'아타마스'라는 젊은 왕이 있었어.
그는 '네펠레'라는
예쁜 여자를 왕비로 맞아,
왕자 '프릭소스'와
공주 '헬레'를 낳고
행복하게 살고 있었어.

세월이 흐른 어느 날, 왕은 이웃 나라 테베의 궁전에 갔다가 그 나라 공주 '이노'를 보고 첫눈에 반했어.
반짝이는 눈, 오똑한 코, 도톰한 입술, 날씬한 몸매…….
어쩌면 저렇게 예쁠까? 이 나라에 저런 공주가 있었다니…….
왕은 자기 궁전에 돌아와서도 이노 공주 생각에 빠졌어.
이노 공주의 아리따운 모습이 머릿속에서 사라지지 않아.

그는 이노 공주와
왕비의 얼굴을
나란히 떠올려 보다가
혀를 찼어.
쯧쯧, 이노 공주에
비하면 왕비는
쭈글쭈글한
호박이야.

이때,
왕비가 다가왔어.
여보,
무엇을
그렇게
골똘히
생각하세요?

당신, 요즘
이상해지셨어요.
저한테 아주
쌀쌀해지셨다고요.
응? 으응……,
아, 아무것도
아니야.

왕은 잠시 왕비의 얼굴을
물끄러미 보다가
퉁명스럽게 말했어.
당신 눈은
왜 그렇게
구름 낀 하늘같이
흐리멍덩해?

코는 왜 그렇게
죽은 풍뎅이처럼
납작하고…….
예?
뭐라고요?

그리고 입술은
왜 그렇게
콩깍지처럼
푸르죽죽하고
처졌어?

처녀 때는
눈도, 코도,
입술도
예쁘다고 하셨잖아요.
이 세상에서
제일 예쁘다고
하셨잖아요.

내가 그랬다고?
그땐 눈이
삐었었나 보지.

왕비는 눈물이
가득 괸 눈으로
왕을 바라보았어.
당신, 인제 절
사랑하지
않아요?
그래요?

그래!
사랑하지
않아!

왕비는 눈물을
주르륵 흘렸어.
제가
싫으세요?
그래,
싫어!
성에서
나가 버려!

왕비는 울면서
밖으로 뛰어갔어.
흥!
으흐흐,
흑흑흑!
왕비는 성문을
지나 숲으로 갔어.
숲에 동굴이 하나
있었어. 왕비는
그 속에 들어가 울었어.
흑흑.
흑흑.

왕은 이노 공주를
새 왕비로 맞아들였어.

왕자 프릭소스와 공주 헬레가
새엄마한테 인사했어.
둘은 침울한 표정이었어.

얘는 프릭소스이고,
얘는 헬레요.

새 왕비는 남매를
날카로운 눈으로
쏘아보았어.
내가 아들을 낳더라도
프릭소스 때문에
왕위에 오를 수
없겠군. 그리고 저 둘
때문에 재산도 조금밖에
차지할 수 없고…….

새 왕비의 눈이 반짝 빛났어.
그래, 저 애들을
없애야 돼!

새 왕비는 믿을 만한
시녀를 불러 음모를 꾸미기
시작했어.
아무도 모르게
곡식의 씨앗들을
살짝 볶아
농민들에게
나누어 주어라.
네,
왕비님.

그때는 곡식의
씨앗을 궁전에서
나누어 주는 관습이
있었어.
볶은
씨앗을 뿌렸으니
싹이 날 리가 없었어.
싹이
안 나.

온 나라에 곡식이
떨어져, 사람들이
굶주렸어.
아빠,
배고파!
엄마,
밥 줘!
아아,
어떻게
하지?

새 왕비가
왕에게 말했어.
틀림없이
신들이 노하신
거예요.

델포이 신전에 사람을 보내, 신탁을 들어 보는 게 좋을 것 같아요.
나도 그 생각을 하고 있었소.

왕은 바로 신하를 불러 지시했어.
델포이 신전에 가서 신탁을 듣고 오너라.
예.

신하가 물러가자, 새 왕비는 얼른 신하를 따라 나가 복도에서 붙잡았어.
잠깐 나를 따라와요.
예.

새 왕비는 신하를 자기 방으로 데리고 가, 금이 든 자루를 내밀었어.
자, 금이에요. 이것을 줄 테니, 내가 시키는 대로 해요.
예, 예, 말씀만 하십시오.

새 왕비는 신하의 귀에 입을 대고 무언가를 속삭였어.
……, ……, ……. 알았죠?

신하는 금에 매수되었어.
예, 알았습니다, 왕비님.

틀림없이
내 말대로
해야 돼요.
염려하지
마십시오.

이윽고,

신탁을 들으러
떠났던 신하가 돌아왔어.
임금님,
델포이 신전에
다녀왔습니다.

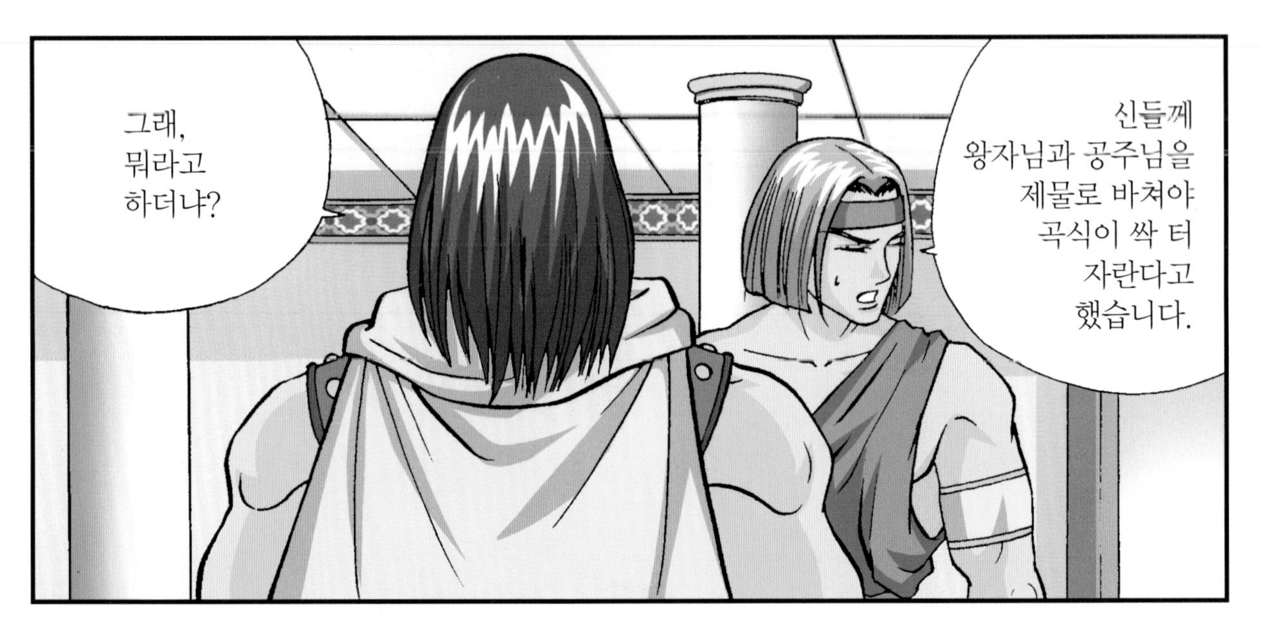
신들께
왕자님과 공주님을
제물로 바쳐야
곡식이 싹 터
자란다고
했습니다.
그래,
뭐라고
하더냐?

그, 그게
사실이냐?
예.

뭐, 뭐,
뭐라고?

안 된다!
내 귀여운 자식들을
제물로 바칠 수는 없다!
물러가거라!
예, 예.

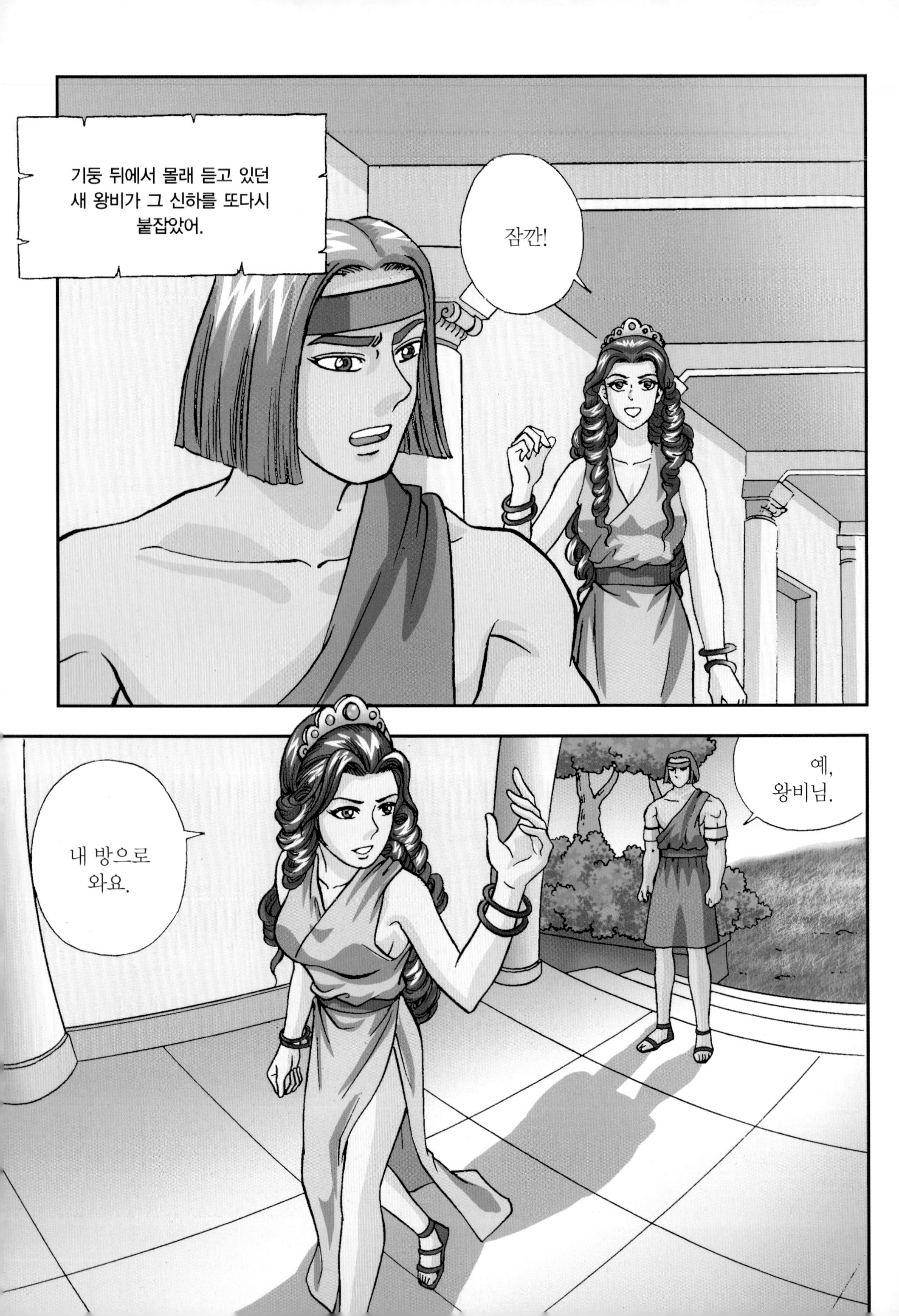
기둥 뒤에서 몰래 듣고 있던 새 왕비가 그 신하를 또다시 붙잡았어.
잠깐!
내 방으로 와요.
예, 왕비님.

참 잘했어요.
한 번 더
내가 시키는 대로
해 줘요.
예.

새 왕비는 신하의 귀에
무언가를 또 속삭였어.
소곤
소곤

신하는 음흉한 웃음을 띠었어.
예, 그렇게 하겠습니다.

왕비는 또 금이 든 자루를 내밀었어.
자, 이걸 받아요.
감사 합니다, 왕비님.

신하는 궁전에서 나와, 사람들이 모인 곳으로 가서 소리쳤어.
여러분, 내 말을 들으시오!

왕자님과 공주님을
제물로 바쳐야
곡식이 싹 터
자란다는
신탁이 있었소!
그런데 임금님께서는
절대로 왕자와
공주를 제물로
바치지 않겠다고
하오!

사람들이 웅성거렸어.
뭐라고?
임금님께서
신탁대로 하지
않겠다는 거요?
백성들은
모두 굶어 죽어도
상관없다는
말이오?
그건
절대
안 되오!

사람들은 흥분해서
궁전 앞으로 몰려가
소리쳤어.
왕자님과
공주님을
제물로
바치시오!
곡식이 싹 터
자라게 해
주시오!
와아아
백성들이
다 굶어
죽겠소!
사람들의 외침을 듣고,
왕은 깊은 시름에 잠겼어.
아아,
이 일을
어떡하지?
새 왕비가
살며시 나타났어.
왕자와 공주가
불쌍해도,
신탁에 따라야
하지 않을까요?

굶주린 백성들이
폭동이라도
일으키면,
우리 가족이
다 죽고
나라가 망해요.

으음…….

어서
결단을
내리세요.

마침내 왕은
신하에게 지시했어.
왕자와 공주를
제물로 바칠
준비를 해라!
예.

한편, 숲 속 동굴에 있는
왕비는 눈물을 흘리며
기도했어.
제우스 님,
저의 아이들이
계모로부터
심한 구박을 받고
있을 것입니다.
그들을 보호해
주십시오.
제우스는
왕비의 기도를 듣고
헤르메스에게
지시했어.
저 왕비의
아이들을
보살펴 주어라!
예.

이때 신전에서는
왕자와 공주가 신하들에게
끌려 제단으로
올라가고 있었어.

왕은 괴로워하며
그들을 바라보았고,
새 왕비는 만족스러운 미소를
띠고 있었어.

마침내, 왕자와 공주가
제단 위에 올려졌어.

제단 옆에서
칼이 번뜩였어.

이때였어.
하늘 가득 흰 구름이
몰려오더니,

구름 속에서
찬란한 황금빛 양 한 마리가
나타났어.
헤르메스의 모습도 보였어.

양은 온몸에서
눈부신 빛을 내뿜으며
곧장 제단 쪽으로
내려왔어.
앗,
저게 뭐야?

사람
살려!
으악!

사람들이 모두 놀라
흩어졌어.
으아
왕과 새 왕비도
놀란 눈으로 양을
바라보았어.
뭐가 어떻게
된 거지?
양은 제단 옆에 내리더니,
등에 오르라는 듯이
왕자와 공주 옆에 섰어.

왕자는 얼른 양의 등에 올랐어. 그리고 공주의 손을 잡았어.
빨리 뒤에 타.
공주도 타자, 양은 하늘로 날아올랐어.
왕자는 황금빛 양털을 붙잡고 소리쳤어.
헬레, 나를 꽉 붙잡아!
알았어, 오빠.
왕과 새 왕비, 그리고 신하들은 넋을 잃고 멀어져 가는 양을 바라보기만 했어.

양은 헤르메스를 향해
곧장 날아갔어.

이윽고, 헤르메스와
양은 저멀리
사라졌어.

양은 헤르메스와
헤어져, 들을
지나고 산을 넘어
바다 위로 갔어.
오빠,
무서워!
괜찮아!
아래를
보지 마!

양은 동쪽으로
에게 해를
건넜어.
유럽과 아시아를
가른 해협이
내려다보였어.

헬레는 순간적으로
아래를 내려다보았어.
휘청
앗,
어지러워!
헬레는 손이 미끄러져,
양의 등에서 떨어졌어.
오빠!
프릭소스가
손을
내밀었으나,
헬레는
바다 위로
빠르게
떨어졌어.
헬레!
아아아아!
프릭소스는
양에게
소리쳤어.
양아,
내 동생을
구해 다오!

양은 헬레를 쫓아
내려갔어. 그러나 헬레를
붙잡지는 못했어.
헬레!
가엾게도 헬레는
해협에 떨어져
죽고 말았어.
풍덩

그 뒤 사람들은 헬레가 떨어져
죽은 바다를 '헬레스폰토스'라고
불렀어. '헬레의 바다'라는 뜻이지.
오늘날의
'다르다넬스 해협'이야.

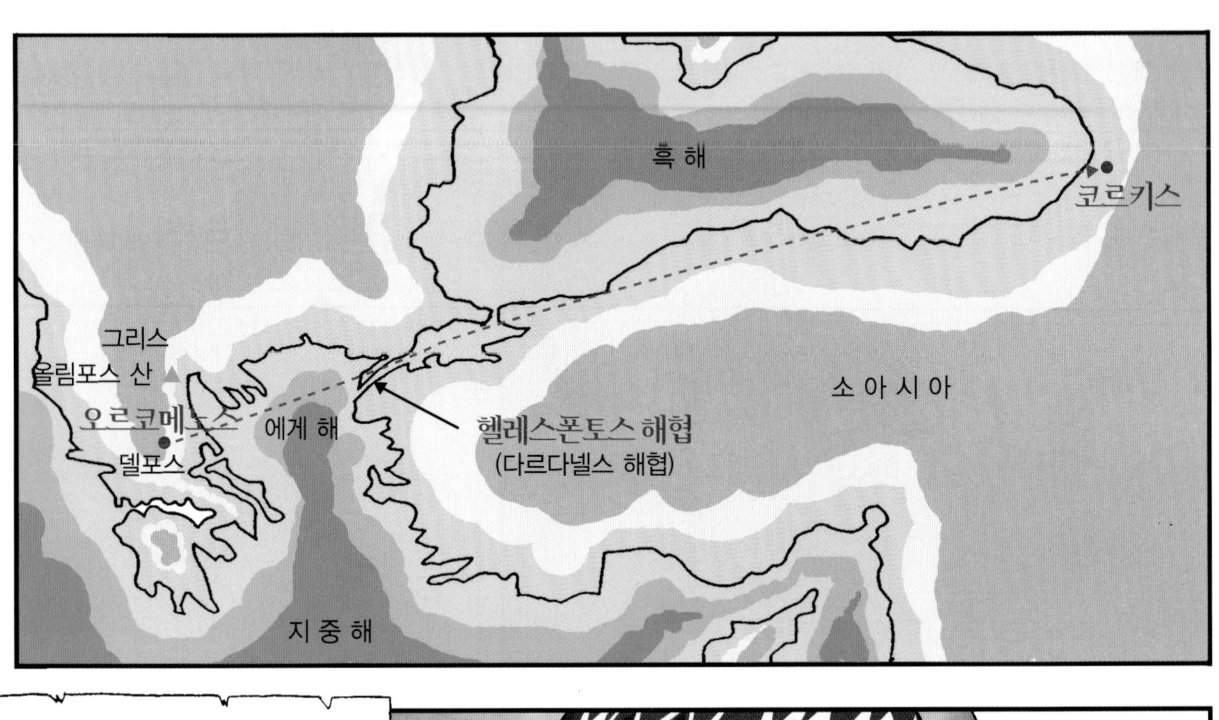
흑 해
코르키스
그리스
올림포스 산
오르코메노스
델포스
에게 해
헬레스폰토스 해협
(다르다넬스 해협)
소 아 시 아
지 중 해

양은 계속해서 동쪽으로 날아갔어. 프릭소스는 자꾸 뒤를 돌아보며 눈물을 흘렸어.
오, 헬레!
양은 흑해 위를 건넜어.
그 후, 양을 탄 프릭소스의 여행은 계속되었어.

세월이 흐른 어느 날.
코르키스의 왕 아이에테스는
왕비와 함께 궁전의 정원을 산책하다가,
하늘에서 빛나는 황금빛 양을 보았어.
앗, 저게 뭐지?
어머, 어머!
왕과 왕비가 놀라는 사이,
황금빛 양은 궁전 정원에
내렸어.
양의 등에서
한 젊은이가 내렸어.

왕과 왕비로서는
너무도 뜻밖의 일이었어.
저 양과
젊은이는
틀림없이
신께서
보내신 거요.
젊은이가 왕과 왕비에게
다가왔어.
그래요.
황금빛 찬란한
양을 타고
온 걸 보면……

젊은이가 왕과 왕비에게
공손히 인사했어.
안녕하세요?
누,
누구지?

저는 그리스에 있는
오르코메노스라는
나라의 프릭소스
왕자인데…….

왕자의 말을 다 듣고
왕이 왕비에게 말했어.

신이 왕자를
우리에게 보내신
데에는 분명히
뜻이 있을
것이오.
맞아요.

왕은 왕자가
썩 마음에 들었어.
자, 안으로
들어가지.
감사
합니다.

왕은 왕자를 자기의 맏딸
칼키오페와 결혼시켰어.

왕이 축하객들에게
말했어.
두 사람은
신의 뜻에 따라
결혼하게 되었소.
신의 은총이
내릴 것이오.

축하객들이
모두 기뻐했어.
왕자님 만세
공주님 만세

결혼식이 끝나자,
왕자는 황금빛 양을
제우스에게 바쳤어.

제우스 님,
저를 구해 주셔서
감사합니다!

그리고 찬란한 황금빛
양 털가죽을
아이에테스 왕에게
바쳤어.
이 나라에
제우스 님의
축복이 있기를
빕니다.
오,
고맙다,
내 사위.

아이에테스 왕은
곧 신하를 불렀어.
이 털가죽을
우리가 아레스 신께
바친 숲에 잘 보관하라.
그리고 잠들지
않는 용에게
지키게 하라.
예.
신하는 황금빛 양 털가죽을
숲의 큰 나무에 걸쳐 놓았어.

무시무시하게 생긴
용이 나무의 밑동을 몸으로 감고
황금빛 양 털가죽을 지켰어.
그 용은 온몸이 튼튼한 비늘로
덮여 있었고, 시뻘건 입에서
독을 뿜는 세 개의 혀를
날름거렸어.

그런데 이 황금빛
양 털가죽에 관한
신탁이 있었어.
황금빛 양 털가죽이
있으면 나라가 번성하고,
잃으면 나라에 불행이
닥칠 것이다.

아니나 다를까, 황금빛
양 털가죽이 생긴 날부터
코르키스는
하루가 다르게 번창했어.
그리고 나,
아이에테스 왕은
엄청난 부자가
되었지.

그래서 온 세계
사람들이 이 털가죽에
대해 알게 되었고,

많은 사람들이 이
털가죽을 훔쳐
가려고 했는데,
모두 용에게
죽음을 당했어.
크아아
그런데
이올코스라는 나라의
왕자 이아손이
이 털가죽을 가져가려고,

그리스에서 제일가는
영웅 50명으로 원정대를 이루어
큰 배로 출발하게 돼.
가자!
그리스 신화에서
가장 큰 모험이
시작된 거지.
내가
좋아하는 모험!

오늘은
할 일이
있으니,
그 이야기는
내일 해
줄게.
지금 해 주시면
더 좋은데…….

〈5권에 계속〉

실록 밖으로 나온 세종의 비밀일기

세종의 비밀 일기로 보는 역사 속 시간 여행!

우리 역사를 빛낸 가장 위대한 임금인 세종 대왕!
여기 세종 대왕이 쓴 일기가 세상에 나왔습니다. 세종 대왕의 비밀 일기를 통해 세종 대왕의 인간적인 모습과 위대한 업적을 배우는 시간 여행을 떠나 볼까요?

- '어린이문화진흥회 좋은 어린이책' 선정
- '아침독서 추천 도서' 선정

초등학교 3~6학년 | 지은이 송영심 | 그린이 윤정주 | 감수 정연식 | 184쪽 | 값 9,500원

꺼지지 않는 등불 안중근의 비밀 일기

대한 독립과 동양 평화를 꿈꾼 안중근 의사

'안중근이 직접 쓴 비밀 일기'라는 가상의 형식으로
안중근 의사가 태어나 형장의 이슬로 순국하기까지의
역사적 사건과 일화를 쉽게 읽을 수 있도록 시간의
흐름에 따라 이야기로 꾸몄습니다.

초등학교 3~6학년 | 지은이 송영심 | 그린이 신민재 | 감수 신운용 | 164쪽 | 값 9,500원

우리 역사를 움직인 맞수들

시리즈(전 2권)

역사 속 맞수들의 불꽃 튀는 한판 대결!

우리의 주인공 왕대범! 우리 역사 속 유명한 맞수들의 대결을 재미있는 이야기로 풀어 줍니다. 대범이의 이야기를 듣다 보면, 자연스럽게 역사를 보는 시각이 다양해지고, 역사 상식이 풍부해집니다.

초등학교 3~6학년 | 지은이 설혜진 | 그린이 이창우
감수 차미희 | 각 권 160쪽 | 각 권 9,500원

고고씽~ 시리즈(전 10권)

초등학교 3~6학년 | 지은이 이은진, 이희정 | 그린이 윤유리 | 감수 이지형 외 | 각 권 180쪽 내외 | 각 권 10,000원

재미있는 이야기를 읽다 보면 저절로 각 나라의 정보가 머리에 쏙쏙!

괴짜 과학자 막가이버 박사, 호기심 많은 소녀 영리, 영리의 단짝 친구인 먹보 무식이가 떠나는 좌충우돌 타임머신 세계 여행! 이번엔 또 어느 나라로 갈까요?
나날이 업그레이드하는 타임머신으로 세계 여러 나라를 여행하는 막가이버 탐험대는 오늘도 세계를 향한 호기심을 멈출 수 없습니다. 더욱 새롭게 펼쳐질 막가이버 탐험대의 세계 여행 이야기! 신 나는 모험의 세계로 고고씽~.

• '어린이문화진흥회 좋은 어린이책' 선정 : 〈고고씽~ 프랑스에 가다!〉, 〈고고씽~ 러시아에 가다!〉, 〈고고씽~ 영국에 가다!〉, 〈고고씽~ 이집트에 가다!〉, 〈고고씽~ 이탈리아에 가다!〉, 〈고고씽~ 독일에 가다!〉, 〈고고씽~ 그리스에 가다!〉

1. 〈고고씽~ 일본에 가다!〉
2. 〈고고씽~ 미국에 가다!〉
3. 〈고고씽~ 중국에 가다!〉
4. 〈고고씽~ 프랑스에 가다!〉
5. 〈고고씽~ 러시아에 가다!〉
6. 〈고고씽~ 영국에 가다!〉
7. 〈고고씽~ 이집트에 가다!〉
8. 〈고고씽~ 이탈리아에 가다!〉
9. 〈고고씽~ 독일에 가다!〉
10. 〈고고씽~ 그리스에 가다!〉